ママだって、人間

田房永子

河出書房新社

ママだって、人間

もくじ

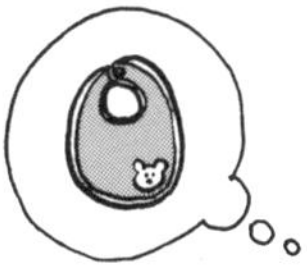

cola

GOSSIP

ごあいさつ

え〜?とか

へ?とか

なんで?とか

なるほどそういうことかとか

……とか

いちいち思うエイコの
妊娠してからの日々
はじまりまーす。

第一章

妊婦だって、人間

1. つわりは母性でなんとかなる？

これが終われば赤ちゃんに会える!
って思うとフシギとがんばれるんだなァ~これが!
マジでヒュー
母性ってやつ~?
そー母性ー自然と湧いてくんのよ!
みんなも妊娠したら湧いてくるよ~
やべー母性スゲェ
へぇ~
いやいやいやいや
ぜんっぜんがんばれないって自分の赤ちゃんってのがピンと来ないもん
数年前に会った友だちの赤ちゃん
うろおぼえ
こんなつらいののりこえてまで
子ども生んで何かいいことあるのかな
子育てって大変そうだし
ハァ……
仕事もできなくなるのかな?
ハァ……
出産したら膣の感度も上がるって言うしな
ゼェ…
感度って本当に上がるのかな?

なあ
オマエ
子ども生んでからしまりがよくなってるぞ!
ずん
いや～ん☆
お医者さまがきつめに縫ってせまくしてくれたのかしら～
ウッ
昔どこかで読んだギャグマンガ…
超くだらない…
性白書24時
激白!? 人妻たちの
子供を生む前はイカなかったのに
出産してからハチャメチャによくなって…
産後からHがよくなる本当ですか？
A.本当です。
人生相談
でも本当だったら
楽しみだな

それからはつらくなると
キツイキツイぞ
アタシもキモチイー!
2人のことを想った
ああがんばれそう
つわりは母性で乗り越えられるのよ~
母性って「赤ちゃんを思う気持ち」みたいなこと?
だったら今の私ってなんなんだろう?
つらい…今日こそもう無理だ
ハア…
ハア…
ハア…
妊娠やめたい
やめられるかいちおう見たい
中絶について
カチ
どうやらやめられない
ハア…
よかったうんよかった
がんばらなきゃ
人工中絶は妊娠12週までに云々
13週
キツイよぉ~
ハア
ハア
結局「母性」以外のことしか役に立たなかった
でも先生にはそのがんばりこそが「母性」なんだよ!
って言われそう
イラッ…

2. 妊娠中のムラムラ

つわりが軽くなってきた頃から
ZZZ
グーグー
ビクビクッ
んあっ
……
グーグー
ビクビクッ
ん?
夢《ム》ーガズムがひどくなった
夢ーガズム
女の夢精
淫夢から目が覚めると
同時にイッちゃう
えっ!?
妊婦生活
やってOK!
やっちゃNG
特集
またか…
ふぅ…
オーガズムは
オーガズムはNG
セックスはOK
体調が良ければOK
体位に気をつけてネ
ひとりHはOK
膣内への刺激をしなければ大丈夫!
オーガズムは

オーガズムは子宮が収縮する動き。早産につながることがあります。
えっ寝てるだけで勝手にイッちゃうんだけど!?
診察室
セックスもオナニーもしてなくてたまりまくってるから
体が勝手に処理してんじゃないの？赤ちゃんに悪いの？
セックス ひとりH オーガズム
THE マタニテ
ママライフ
「オーガズムNG」なのに日に日に感度を増す乳首
ちょっとなにこれちょっと触っただけで
イ…イッちゃ
無理だよこんなBODYでガマンなんてできない！
毎日ひとりでするようになってしまった
確かにイッた後お腹がギューってなる
怖いからもうやめとこ
そしてひとりHをガマンするようになったある日
カクン
あれなんか急に眠い

気を失うように寝てしまった
グー
夢の中で自分が大草原に向かってオナニーしはじめた
ビクビクッ
イクッ
また夢ーガズムか
ってえ!?
きっちり10分しか経ってない
えーっっオナニーするために寝たってこと!?
幸せを呼ぶ石100
時間を守れる法100
うまいラーメン100
何か変わったことありましたか?
いや、ないっス
イッちゃっていいんですよね?って聞けないなー
健診

子ども生んだ友達にも
なー　ちょっとなー
セックスして
子どもが出来たのに
そのセックスで
良いものとされてる
「オーガズム」なのに
なんで人に言えないんだろう
なんで口に出せないんだろう
いいことなのにな
オーガズム
旦那…
モグモグ
言っちゃえ!
あのさー
最近、
勝手に
イッ
ちゃうん
だよ
モグモ…
クリトリスも
乳首も感度が
すごいんだよ
イッちゃダメって
書いてあるんだけど
どう思う?
ギラッ
実はオレもリビドーが
限界に達していて
セックスがムリ
ならTENGAを
買おうと
思うんだが…

3. 妊婦のセックス

えっ
〈TENGA〉スタイリッシュな男性用マスターベーショングッズ
入れる
TENGAの機能はスゴイと聞いていた
使い捨てなのに洗って何度も使ってしまうんだ…
おそろしいな…
COFFE
TENGAがあれば女の人はいりまへん！
ワハハハ
ギャハハ
どんだけすごいんだろうね
使ってみたら？
俺は
こういったたぐいのものに興味がない
そう言ってたのに
よっぽどか…
私のアソコも変わってしまったし

〈アソコの変化〉
外から入るところ
妊娠前
エイコの場合
中から出てくるところ
妊娠中
全体的に下がった感じ
常に若干充血してる感じも
つわりの名残りで触り合うのもまだ抵抗があるし
〝代わり〟が必要かもしれない
うん分かった買ったらいいよ
そして4本のTENGAが届いた
どれにする？
どう違うんだっけ？
ねえどうする？
……
俺ひとりで使うから
は？
いいから

ちょっと待ってよ
ひとりで使うって何なの？
いいからもう寝よう
ひとりで使うってどういうこと？
2人で選んで買ったんじゃん
もう寝るぞ
カチン
自分から言い出したんでしょおがぁ!!
……
え、マジで何なの？
知らないうちに一本減ってるのを見て
私はどうリアクションしたらいいわけ？
気付いてないフリパターン
冷やかしパターン
使ッテタネー
ヒューヒュー
なんでいちいちこんなこと考えなきゃいけないの？
イラッ…

あのさぁ 私が男性器のオモチャ買ってさぁ
この部屋の見えるとこに置いといてさぁ
それが毎日ちょっとずつ動いてたらどう思うの？
1日目
2日目
3日目
4日目
5日目
6日目
7日目
超きまずくない？
ひとりで使うならひとりで勝手に買ってよ！
私にわざわざ言わなくていーよ！
女のアソコそのものなんだよ
イッラ
絶対
この4本は
ひとりで使わせないからな!!
ザッ
うわああああ
ガコッ
GOMI
結局2人で使うことになった
ああそれにしても…

つわり中は10kg減ったのにすぐ元に戻っちゃった
ゼェ ゼェ
つわり中
自分史上最高プロポーション
あの体の時は
あ――
具が
具がハミ出るくらいのTバック履いて
ZUNDOKO
人前でいやらしく踊りくるいたい！
ZUNDOKO
オオ――
と、思った
妊娠して
こういう人の気持ちが分かるって何なんだろう
デブ～ン
頭の中はこうなるもんだと思ってた
世界がわたあめでできてたらいいのに♡
オーガニックコットン

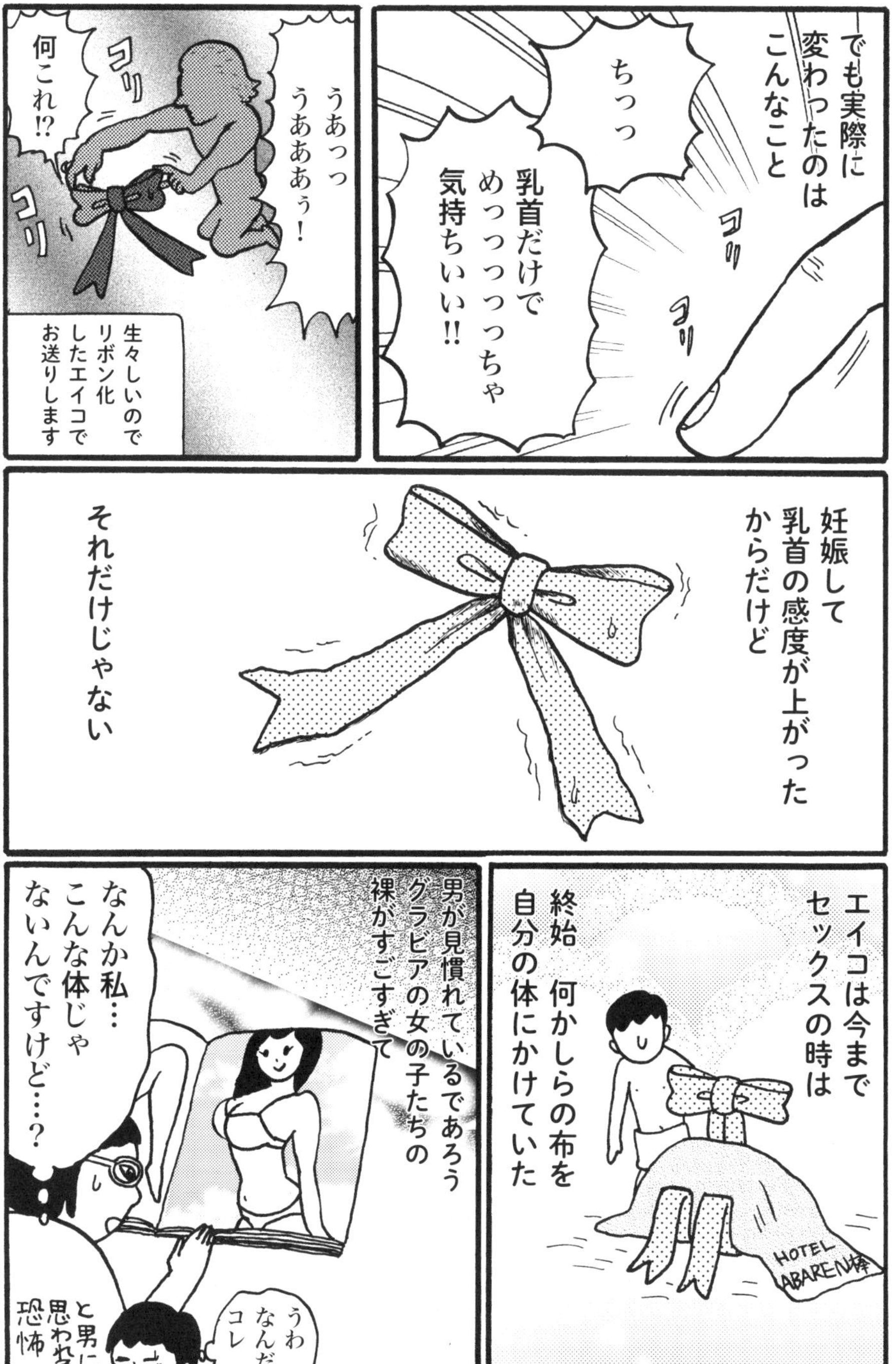

でも実際に変わったのはこんなこと
ちっっ
コリ
コリ
乳首だけでめっっっっっちゃ気持ちいいい!!
うあっっうああああぅ!
コリ
コリ
何これ!?
生々しいのでリボン化したエイコでお送りします
妊娠して乳首の感度が上がったからだけど
それだけじゃない
エイコは今までセックスの時は
終始　何かしらの布を自分の体にかけていた
HOTEL ABAREN棒
男が見慣れているであろうグラビアの女の子たちの裸がすごすぎて
なんか私…こんな体じゃないんですけど…?
うわなんだコレ
と男に思われる恐怖

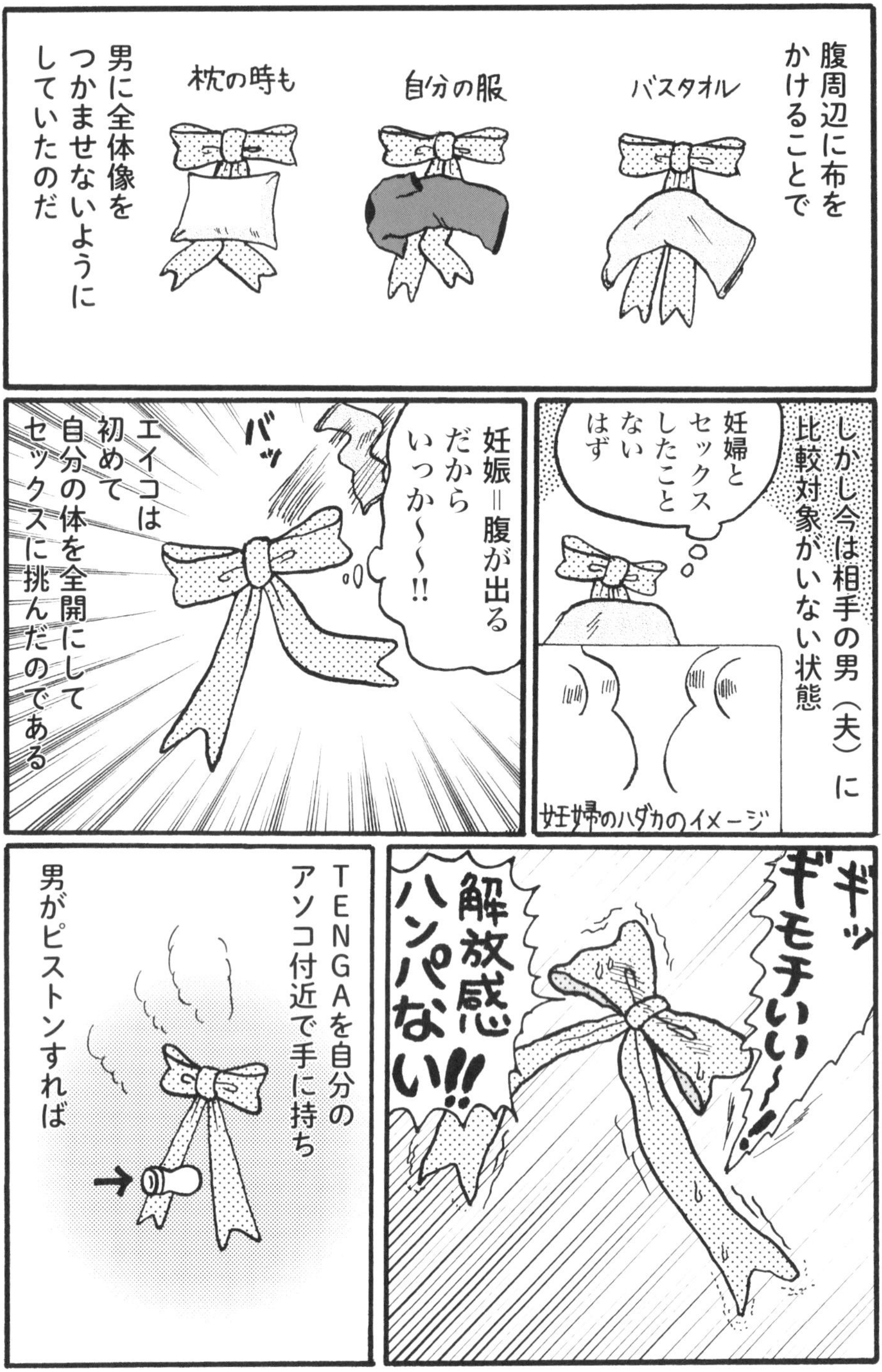

腹周辺に布をかけることで
バスタオル
自分の服
枕の時も
男に全体像をつかませないようにしていたのだ
しかし今は相手の男（夫）に比較対象がいない状態
妊婦とセックスしたことないはず
妊婦のハダカのイメージ
妊娠＝腹が出るだからいつか～～!!
バッ
エイコは初めて自分の体を全開にしてセックスに挑んだのである
ギッ
ギモチいい～!!
解放感ハンパない!!
TENGAを自分のアソコ付近で手に持ち
男がピストンすれば

ぐっず
ぐっぶ
ぢゅっぶぢゅっぶ
音エッロ!!
ほんとに挿れてるみたい!
あっああっ
うわああー
じわんじわん
セックスのあとのこのフワーッとした充足感みたいなやつ
じわんじわんじわん
イカなくてもこれって味わえるんだ〜
いくらウマい人としてもこのフワーッが感じられないこともあるもんなァ
すごいイッてたね
……
私は今までイクとかイカないとか相手のテクとかにこだわって
セックスを楽しもうとしてなかったのかもしれないな
挿入やオーガズムがなくてもセックスってできるんだ
ホカホカした気持ちで眠りについた

4. 母親学級カースト

杉野区保健セン
母親学級
出産・育児について講義が受けられます
ママ友を作るチャンス！
妊婦さんあつまれ！
エイコは
母親学級へやって来た
みなさ〜ん 輪になって座って下さ〜い
ワイワイ
ガヤ
ガヤ
まず自己紹介が始まった
妊娠7ヶ月です 出産予定日が近い人と
お話したいです よろしくお願いします
パチ パチ
もう8ヶ月になるのに先週まで働いちゃってまして
ええ〜〜
あ あの でも これからは！赤ちゃんのことに集中したいと思っています
え？
パチ パチ パチ

私も
先月まで
働いてしまって
いたので…
こういう場に
やっと来れたので
ママ友がほしいなと
思っているので！
私も働いてしまって
るので
まだママ友がいません
自業自得って
カンジです！
どっ
なんなんだ
この
「働いている」
ことをザンゲ
する流れは…
エイコの住んでいる
土地柄なのか
高級住宅地地帯
フリーの地域
同じ管カツの
保健センター
主婦が働くなんて
お恥ずかしい
的な価値観？
どうしても抜けられない
職種なので
今まで働いて
しまっていました
それとも、世の中の
妊婦ってこういう
ものなのかな？
?
臨月まで働いてた
友達もいたし つわりでずっと
寝たきりの友達もいたから
どっちでもいいと
思ってた
よくわからない空気の
場所は心細くて

田房です
妊娠6ヶ月です
よろしくお願いします
パチ
パチ
パチ
あたりさわりなく終わらせたのだった
それではみなさん次は6人グループで座って下さーい
妊婦の食生活
プリント後ろに回してくださーい
なんかこの人の感じ
どっかで見たことあるなー
なっ!?
シュッ
感じ悪っ……
分かった
思い出した

キレイでリーダーっぽい人を見つけてすぐくっつく人の
角度だ
全体の空気や全員の外見なんかを瞬時にランク付けして
王女タイプ
イケてる層
フツー
庶民
ザコ扱い
まっさきにこの位置を陣取る側近《スネオ》タイプ
普段 王女以外見ない
王女がいない日は次点の人にくっつく
基本こっち見ない
誰もいない時はとんでもない事を言ってくる
おもしろいんでしょ? おもしろい事言ってよ
昔っから天敵だよ…
妊婦の食生活
大人になってからは避けてきたけど
またこういう世界に入るのが母親になるってことなのかな
それでは 栄養士さんから食生活についてのお話がありまーす

ハイッ
では始めまーーす
栄養バランス
主食
副菜
主菜
近藤
というわけでね！赤ちゃんのためにイヤでも野菜は食べて下さい！
私…うまくやってけるのかな
はあ…
あなたたちは国民をひとり増やす重要な任務についてるんですよ！
子どもが健康で長生きするかどうかはあなた達がどんな食事を作るかにかかってるんです！
つーか…
優秀な子孫を残してくださいよ!!
さっきからなに言ってんだこいつ
働いてる人もちゃんと旦那さんに魚や野菜食べさせて下さいよ！
旦那と子どもの寿命はあなたたち次第なんですよ！
頭が痛い…
まさかみんなフツーに聞いてるわけ…

どうしよ 私 魚あんまり 出してなーい
えー やばいよ 食べなよ
ガッツリ 受け入れとる…
えー
こんな 感じなら
自己紹介で 本当に思ってること 言えばよかったな
私は 妊娠してから
なぜ 夫との子どもしか 生めないことに なってるんだろうと 思うようになりました
ざわっ
妊娠という状態が あまりに楽しくて おもしろくて
人生で 2〜3回じゃなくて もっとしたい、 そう思うように なり
イイ男がいたら その人の子を生む
女の体は本来そう できてるんじゃないかな なんて思います
どっ
同じことを考えてる方が いたらお話したいです!
よろしくお願い します!
パチ パチパチ

次は赤ちゃん人形でオムツかえの練習をしまーす
なんてね
ひとりずつ順番にやってくださいねー
ガヤ
ガヤ
ワイ
ワイ
………
それとなく
このひとりでいる人の近くに行こう…
よし
えーうまくできなぁい
アーハハ
アハハ
アハハ
前の人がつけたオムツとるところから始めて下さいねー
ドキドキ
パカ
え!?

何？ この股間…
ふくらみ
切り込み
つるつるで平ら
尻の穴らしきポッチ
え？赤ちゃんのまんこってこんななの？
女のアソコは尻まで割れ目がつながってるイメージ
なんだけど
子どもの時はちがったっけ？
チラ
あの…ちょっとこれ…
ここってこんなですっけ？
クスクスッ
えっ
………
え？
あれ？
あ…聞こえないフリ？
……
うわっなんか
死にたい!!
自己紹介ヘンなこと言わなくてよかった…
エイコはだまってオムツをかえたのだった
ガヤガヤ

5. 胎児のアソコの呼び方

6. 実母には教えない

へへっ
おかしいな
女の子か～
どうしても
こういうものが入ってるイメージだった
本当に人が生まれてくるんだなぁ
絶好調のエイコだったが
一つだけ悩みがあった
エイコちゃーん
エイコちゃーーん
ドス
ドス
エイコちゃーん
エイコちゃーん
ムギュ
ウ～ンウ～ン
実の両親に妊娠したことを伝えていなかった
ハア!
ハア…
4年前に会うのをやめた
母、そして父

一緒にいるだけで具合が悪くなるのに
ちゃんと生理来てるの？ 心配だから安心させて！
そういう事言うのやめてってば…！
も一怒んないでいつものエイコちゃんに戻ってェ ホラァ
産後の弱ってる時に近くに母がいるなんて…
やめてって
なんでよ！アンタのためにやってやってんのよ!!
オギャー
そっ想像しただけで
おいおい
入院する病室見て、ここで一時間くらいなら
会えそうかなって思ったんだけど
ワーーッ
赤ちゃんカワイーーッ
あなた助産師さん？
まー素晴らしい職業についてらっしゃって
写真とってあげる
送るからメアド教えてねー
いいのよ気にしないで！
ハイチーズ
オギャッ
オギャッ
オギャッ

助産師の中田さんってほんとーにステキな人なの！すばらしい人に出会えて私幸せ!!
帰るぞ〜
イラ
イラ
どうせそういう謎の行動するんだ あの人は… でもだからって孫と会わせないなんてヒドイかな？
フーッ
フーッ
いや、問題なのは
ああ…
今もうすでに私が混乱してるってことのほうだ
決めた！
「生まれます」メールだけするよ
うん それが無難だな
あとは会いたくなった時に会う
でも本当はみんなでお祝いしたい…
やっぱり私がガマンするべきなのか？
見て 中田さんの写真！キレーにとれてるでしょ
お隣りの病室の産婦さんともお友達になった〜
エイコちゃんも写真みる？お隣りの産婦さんの〜
忍耐
いや、そんなの枯れた草を大切にしてるようなもの
新しい作物植えたいのに可哀相で抜けねぇ…
私は赤ちゃんとの出会いを楽しむよ！

7. 乳首革命

あっ
田房さん？
乳首で
お困りの？
はい
助産師
ワダ
うん、じゃ
見せてねー
えっ
ここで？
だいじょぶ
誰もいなぁい
診察室
あの、右の乳首が
張ってるっつーか あの
!
ギュ
ギュッ
右ね
うん
つまってるっ
ぽいねー
ギュッ
ギュッ
グリッ
コネ
コネ
こう
乳首
マッ
サージ
して
赤ちゃんが
吸いやすい
大きさに
して
ギュッ
ギュッ
コネ
コネ
はい
赤ちゃんが吸いやすい
理想的な乳首
1cm
1cm
ギュッ
ギュッ
コネ
コネ
?
あれ？
ギュッ
ギュッ
コネ
コネ
超えた!!
オッパイがいやらしいとか
セクシャルな部分とか
そういう概念が
消えた!
ありがとう
ございました!
ハ～イ

8. 安産教室にて

1 2
腰を
前に出すっ
クイッ
クイッ
クイッ
クイッ
クイッ
腰を前に出さないとー
NG
OK
クイッ
赤ちゃん出てこれないからねー
安産体操は
騎乗位の動きにソックリだ
ユサ
ユサ
ユサ
ユサ
上下にゆれる
クスクス
アハハヤダー
なにこれーちょっ
ふっ まだ超えてないな…
じゃ隣の人とペアになってマッサージです
私はもうその次元は
とうに超えた！
クイッ
クイッ
こうして足でふんでリンパを流してあげてねー
ぐい
ぐい
オッ これか気持ちいいんだよな

どうですかー
ギュー
えっ
いっ痛い!!
ゴリ
ゴリ
気持ち
いいですかー
ギュー
!
息できなっ
ハッ
この人 全力で
手コキする
タイプだ!
ハァ
ハァ…
ども…
じゃ 最後に
何か聞きたいこと
がある人いたら
どうぞ~
ハイ
あの、もし
安産
すぎて
ざわっ
家で生まれそう
になっちゃったら
どうすれば
いいんですか??
え~
クスクス
そんな事
めったにない
ですよねぇ?
えっ
エイコは
昔から
安産体型
ケツ
でかい

と言われ続けていた
水着になるのを遠慮していた私が
こういう青春を送ってきた人より安産じゃないはずがない
うちのお兄ちゃんの奥さん 家で赤ちゃん出てきちゃったの
という話を聞いて不安だった
でも変な心配だったのかな…
うん まずねー
救急車を呼んで立てひざで赤ちゃんを生んでね
出てきたらバスタオルでつつんでいっしょに横になってればいいよ
胎盤が出てくるのは30分位かかるからへそのおもそのままで
あとは救急車の人が処置してくれるから大丈夫
この病院に電話してくれれば実況で対応教えるからね
ホッ…
普通のこととして教えてくれた…
優しいな
あのー私
乳首マッサージしてたら乳首が根元から裂けちゃったんですけどー
この人全力すぎる！

9.「出産は、痛いよ」の呪縛

陣痛 そんなに痛く なかったよ～
生理痛 くらいかなー
こういう話を たくさん聞いてるうち
ぜんぜん こわくない
エイコはずっとこんな感じだった。
なのに…
出産予定日まで1ヶ月を きった頃から
もうすぐ お産!?
すっごく
痛い よォ～!! ウフッ アハハッ
痛いよ～ でも忘れる から大丈夫よ
…
「痛いよ」と 言われる事が増えた
私
痛いんすかねー こわいっスよー
とか言ってないのに
陣痛ってすごく 痛いらしいねー でも帝王切開の キズのほうが 痛いから 安心してー
謎の比較で 励まされることもしばしば
出産方法は いろいろあるのに
自然分娩
アソコから 出す
帝王切開
おなかを 切って出す
無痛分娩
薬を使って 陣痛をやわらげ アソコから出す

なぜか自然分娩が前提になってる
無痛分娩するって決めてるかもしれないのに
田房さん 出産は痛いけどがんばって下さい。赤ちゃんがかわいくてすぐ忘れてしまうので大丈夫。育児の大変さのほうを覚悟したほ
ていうか
痛いよー 痛いよー
あっワタシ無痛分娩なんで大丈夫でーす
って言って黙らせたい
そのために無痛分娩にしとけばよかった
今までせっかく出産を楽しみにしてたのに！
この数日であっという間に恐怖になっちゃった…
ガク ガク ガク
超痛いですよ
想像を絶する痛みなんだ きっと……
不安がふきとぶ即戦術が知りたい！
お産がラクになるコツ伝授無敵BOOK
ハァ… ハァ…
お産には富士山2往復分の体力が必要です
何よりも体力勝負
陣痛
子宮
うそー
中学時代からのテニスできたえた筋力のおかげで安産でした（神奈川県30代）
体験談
中学から…だめだもう間に合わない…

楽しみな気持ちを取り戻さなきゃ
「痛くなかった」人たちの言葉だけで心をいっぱいにしよう
そんなに痛くなかったよ
そうでもなかったよ
そんなでもなかったよ
安産教室で習った呼吸法と
お産はステキです 子宮口は花のつぼみです ゆっくり花開いていく イメージです
スー
スー
イメージトレーニングも復習
さらにポジティブ石でパワーをチャージ
子宮などに効くと言われるカーネリアン
ポジティブだけが染み込んだモノを分娩室に持って行きたくて
楽しいことがあった日は寝る前にその気持ちを石にうつすイメージをしていた
貯めておいたポジティブを引き出すイメージ
うーん効いてる…気がする
そして
痛いかどうか私が感じることなのに「痛いよー」って決めつけてくるんスよ
そういうのは全部無視！
出産なんて片手でチョイだ！
先輩ママの檄《げき》でダメ押し
復活するのに3日かかったけどまた楽しみになってきた
よかったね

男ってこの十月十日
なんにも変わらないんだなー
私は乳首グニグニされてあっち側に行ったり来たりしてるのに
異次元
ワープ
通常社会
ネガティブゾーン
男も自分の子どもが生まれるまではチンコが腫れるくらいの変化があってもいいのにな
あら田中さん奥さんオメデタ?!
ええまあ
にしても予定日過ぎてんのに生まれないなー
この日に生まれてねってお腹に語りかけるとその日に生まれるって
みんな言うからやってたのに
希望日に陣痛開始
泣いたり叫んだりせず陣痛を楽しむ
クールにツルンと生んで終了
正味2時間くらい
プランがズレてきちゃった
来週まで陣痛が始まらなかったら
陣痛促進剤を使ってお産を始めましょう
え?

10. 実録！出産祭り

朝9時
分娩室
点滴
陣痛促進剤の投与が始まった
夕方5時頃にうまれるでしょう
は？ 5時!?
お昼くらいだと思ってたのに！
うそイヤだうそだ
フルタイム!?
促進剤使うのだって
イヤなのに…
ダメだ抵抗しちゃ
すべてを受け入れるんだ…
ジジジジ
陣痛がグラフで出てくるマシーン
痛いのは3分ごとに1分間だけ
その1分間は子宮が
赤ちゃん
ギュ
赤ちゃん?!
ガッチガチに縮む感じがする
ゆっくり吸いきってゆっくり吐ききる
スー
ハー
スー
合気道の先生に教わった呼吸法を始めた
陣痛の時家でやってたら頭出てきちゃってあわてて病院いった～

子宮口が開くのに合わせて
お花がひらくところをイメージします
イメージトレーニングの先生はこう言ってたけど
痛みの音（イメージ）
ギュ…ギュ…
ザ…ザ…
私は大好きなハワイの海の波でやってみよう
ザ… ザ…
ひいたひいた
陣痛がない時はものを食べたりできた
ポチポチ
陣痛なうだよ
マジで?! がんばれ〜
39〜！
ギュ ギュ…
あ 来た来た
ス ハ
このポーズが一番ラクだな
田房さん痛みに強いほうですか？
え
グラフを見るとかなり痛いはずなんだけど
ぜんぜん痛そうじゃないですね

イメージトレーニングを習ったので
それで気をそらせてます
痛くないわけじゃないんだ?
エイコはもともと歯医者でとある技を使っていた
ビシュー
ビイィィィィ
痛い…こわい…
こんな時は…
あ〜これ好きなやつだわ〜
ビィ
ガシュッ
ビィ
アンッ気持ちいい〜感じるぅ〜アア〜ン♡♡
ビィィィ
ビュウウウウウ
一時的にドMの人になりきると
痛みが和らぐのだった
ビィィィィ
アーンもっとやって♡
痛みを真正面から受けとめないっていうか
見たくないものに焦点を当てないっていうか
グロい画像
?
ふーん
……
ス
あ始まったねまたくるからね
アハハ
キャキャッ
ヤキャカチャ
キャハハ
お昼になると隣の助産師さんたちの部屋からそばのおつゆのにおいがした
ス
その時だけハワイの海が鴨南蛮になった
ザップーン
キャッ
キャッ

陣痛をちらす孤独な作業を始めて7時間
もうすぐ終わるぞ!!
あと1時間で子宮口が全開にならなかったら
続きは明日やりましょう
え？
子宮口はこのままで陣痛だけとめることができるから
明日の朝この状態からスタートできます
なにそのゲームのセーブみたいなの…
え…
うそでしょヤダよ
今日産みたいです！
願いが天に通じたのか一時間後
ズキーン
ウッ!!
腰が痛い!!
アラアラ
急に全開になったね
あと1時間で生まれるよ
ガチガチガチガチ
ス
ここからは短くハッハッって息するといいよ
ガチガチガチ
なぜ体がふるえる
急に全開になったから
ブルブル
カチ
体が早送りみたいになってるのかな？
旦那さん呼ぶねー

しばらくするとふるえはとまり
田房さん
会陰は切開します？
切らないでおきます？
焼き鳥屋さんと同じノリだった
らっしゃいっ
タレと塩どっちにします？
どっちがいいんですかねー？
賛否両論なんだよねぇ
うーん
じゃ
切ってみます
分かりました
その数分後
次の陣痛からいきんでねー
フンナァ
なにこれ？猫みたいな変な高い声が出る！
サッ
サッ
助産師さんがベストなタイミングで
足をかかえてテニスボールをあててくれる
Coming Soon
ッ
肛門にテニスボールの必要性
本来の「出す力」の方向
肛門
まんこ
力の分散をせきとめる
1分くらいいきんで休憩
ふー
ガチャ
ハァ…ハァ…
旦那さん来たよー
フンナァ
何度かフンナァした…
フンナァ
その時!!

ズーン
まんこに何かが触れたのが分かった!!
なんかこういう感じのものの
この部分が
当たってるのが分かる!!
今までぜんぜん分からなかったのに
こう入ってるのか
こうなのか
さっぱり分からない
突然分かる!!
フンガァ
赤ちゃんおりてきてるよ
へぇーそうなんだ
さらに助産師さんが衝撃の一言
赤ちゃんの頭
触ってみる?
はあ!?

大丈夫なんですか!?
そんなことしていいんですか!?
大丈夫だよー
うそじゃやっちゃおっかなねっ
どおしよ記念にさぁねっ
うふっ
や…やっちゃえよ
ハイ！ここだよ！
うわーッ!!
まんこが読みとった触感そのものがそこにあった！
アーーーー
毛がはえてるし頭だよーおもしろーい！
うん そうだね ハハハ
あれ？オレ今笑ってる？なんで…？
そしてお産はクライマックス
緊張感
フンナァ
いいよー
フンナァ
スピード感
上手だよー
かけ声！
なんかお祭りっぽい！

フンナァ
出てきてる！
あれが出てきてる！
まるで赤ちゃんは別のところに浮かんでて
輪切りでテレポーテーションされて
私のまんこから出てきてる感じ
ビビビビビビビ
フンナァー
会陰切開の準備まにあうか!?
フンナァ
いや、もう裂けるよし思いきって！
フンナァー
さっきの私と同じ声
フンナァー
はい おめでとうございます
ウワーッ超カワイイ!!

11. 絶望

アハハ
出産直後
エイコのテンションは
異様に高かった
吸ってる!!
すごい!!
ちうー
ギャハー
ガッチョン
つか
痛いわ!!
なんか
出てる
ザバ
ガッチョン
出血を止める
大切な
処置だからね
出産より
痛がってるね
アハハ
ガッチョン
ガッチョン
超いて～～っつの
アハ
ガチョガチョ
ガチョガチョ
じゃ
田房さん
私 帰るね
あっ!
ありがとう
ございました
ほんとに
うん

バタン
助産師さんてこのあと焼肉食べに行ったりするのかな？
するだろう
あの～
自分の胎盤見ます？
えっ
見たいです！
ハイ　これでーす
これへそのお
ウワー!!
モロ内臓!!
これどうするんですか？
捨てちゃうんだよ
2時間後病室へ移動
母子同室だから自分たちで最初から育児できるね
俺も泊まるわ！
おむつはこうしてこう
ねおわりです
ふーん
って…え？
これをこれから毎日やるの？私が⁉

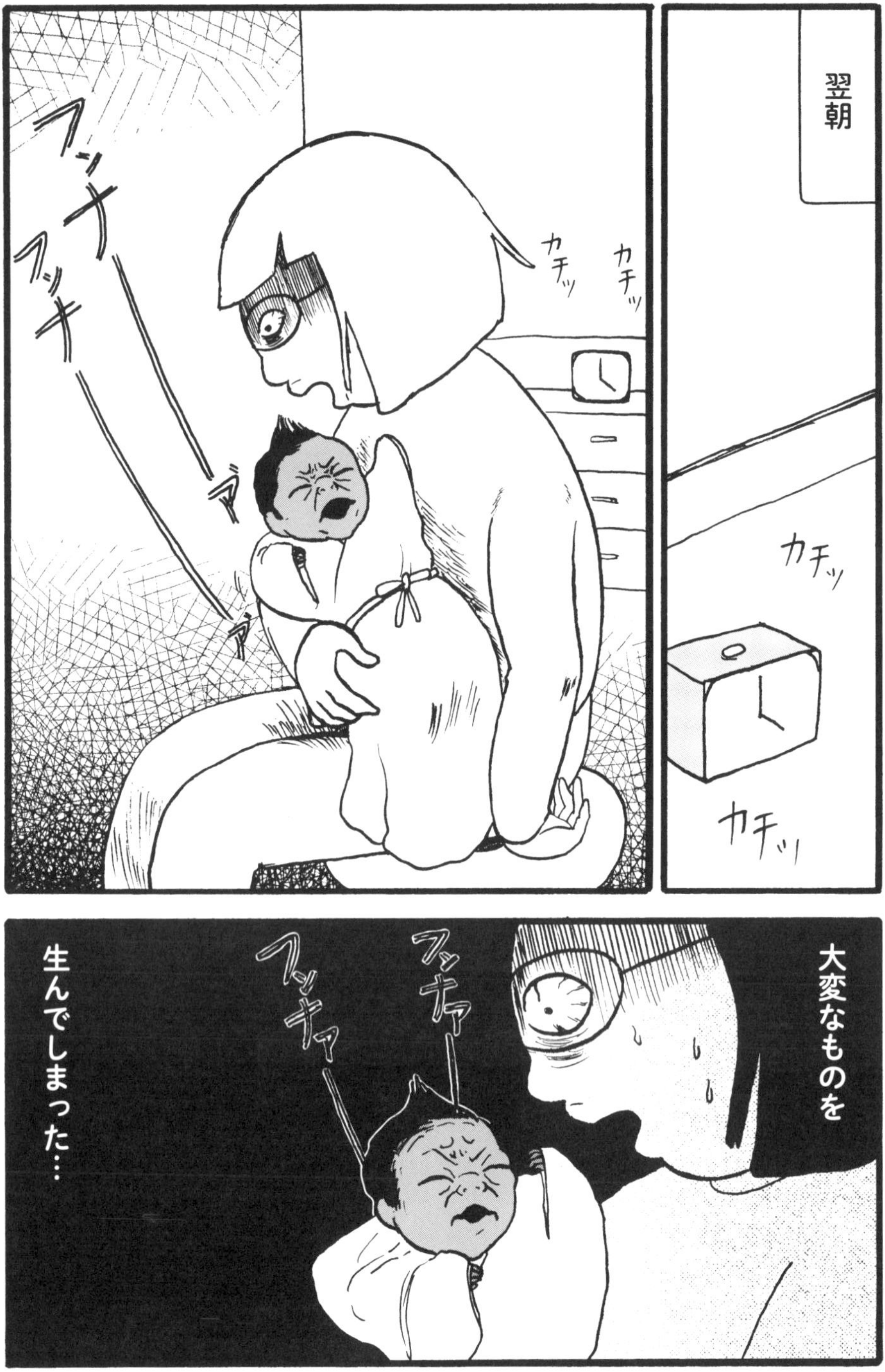
翌朝
カチッ
カチッ
カチッ
カチッ
フンナーァ
フンギーァ
大変なものを
生んでしまった…
フンギャー
フンギャー

おむつに おっぱい… 毎日毎日
大丈夫か?
おふろとか… 絶対ムリ できない
オレ 仕事いくから
帰りに 何か 欲しいの あったら メールして
コクッ
……
しんっ…
でもやっぱ めちゃくちゃかわいいな
……
フェ…
フンナァーア
フンナァァンキァーア
ドキィッ
ヒッ

泣くと超こわい
泣かないでほしい…
フンナァ
フンナァ
うう…
小雪……
産後1ヶ月は大変で
赤ちゃんがかわいいと思えない時もありました
小雪さん子育ての苦悩激白！
小雪に会いたい
話したいこといっぱいある
こんにちは小雪です
コンコン
えっ!? 小雪!?
母乳指導ですッ
ヒッ
大雪ッ
ギュッ
ギュッ
とにかくね赤ちゃんに乳首を吸ってもらって
そしたら母乳出るようになるからがんばって!!
ハッハイッ
吸わせまくったら次の日には乳首に激痛が
ハッ
ハッ
痛くてうごけない

なんで
こんなに
痛いの
こんなの
聞いて
ない…
まんこも
縫ってある
から
普通に
座れないし
つーか…
まんこが縫ってあるって
どういうこと…?
きのう まんこから
出したからだ…
人間を……
それでまんこが裂けたから
縫い合わせたんだ…
うそみたい
よく平気で
できたな…
パスッ!
どうしよう
すっごい
怖くなってきた
切開する?
じゃ切りま〜す
キャハハハ
頭出てきてるゥ
がっちょんガッチョン
もったいない…
せっかく
楽しかったのに…
胎盤 超グロ〜い
き…
きた…
フンナァ
もう無理
乳首限界
ムリムリムリ
しかし!

泣き声をきくと
フッナァー
フッナァー
体が勝手に動く！
スッ
サッ
サッ
サッ
ちぅ
赤ちゃんがお母さんから離れられないんじゃなくて
こっちが離れられないんだ
なにかの力
つらい…
つらいけど
超カワイイ
超カワイイけど離れられると
身体検査するから連れて行きますねー
ホッ
2日前まで私は私でしかなかったのに
突然マリオネットに…

あれ？もしかして私はもともと
マリオネットになるために生まれてきたのでは？
そっか私の人生はおとといで終わったんだ
これからのマリオネットの生活が本当の人生なんだ
あららどうしたの？
いや…あの
なんかつらくなっちゃった？
うぐっ
これからはもう友達やみんなとおしゃべりとか出来なくなるのかなって
産後はホルモンのバランスが崩れるからうつになりやすいんだよ
え
これ産後うつ？
じゃ…私の人生が終わったわけじゃないんですか？
かもね
たぶん大丈夫だと思う
ぐすっ
な～んだ産後うつかァ

12. 産後の変化

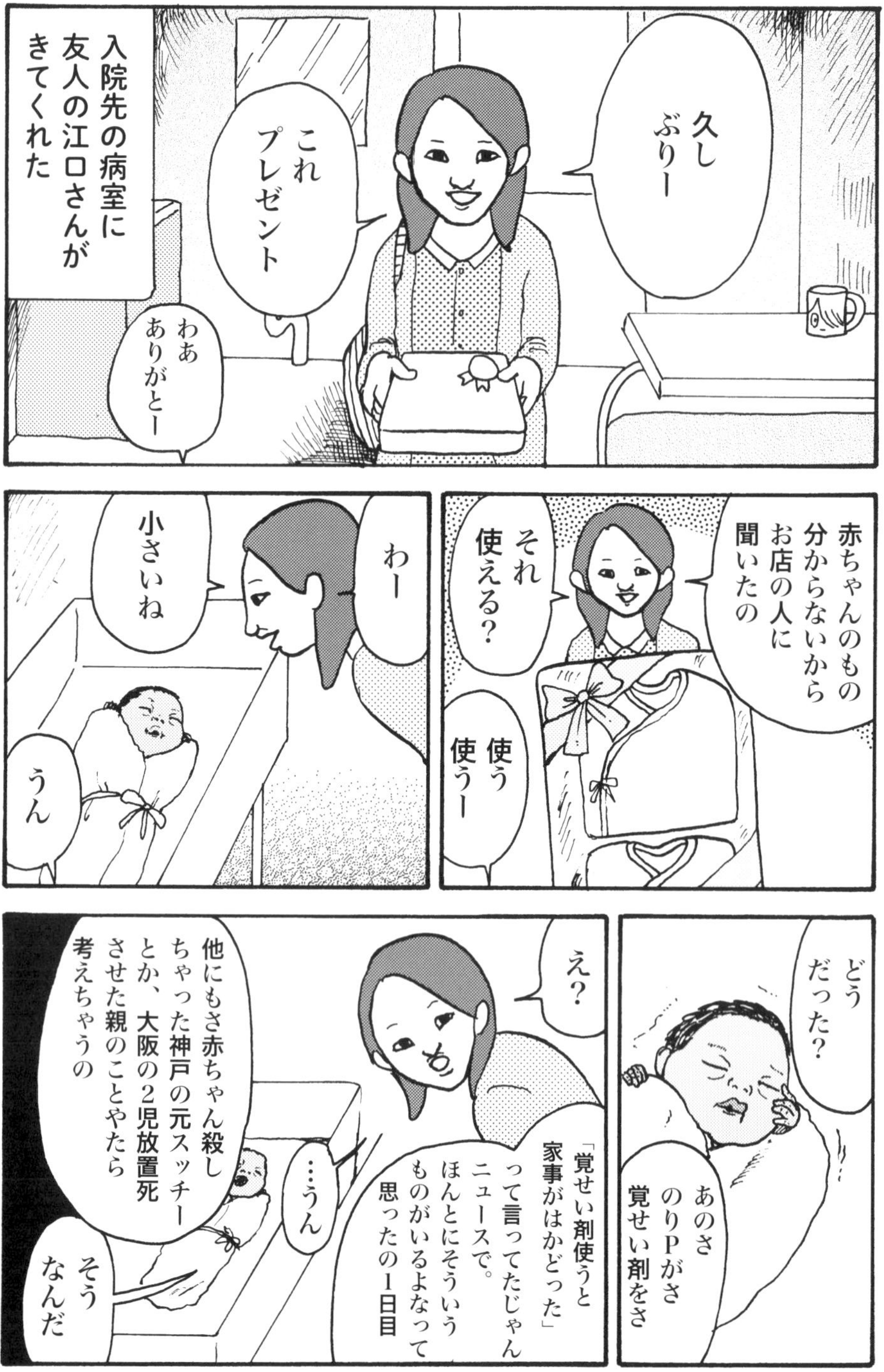

入院先の病室に友人の江口さんがきてくれた
久しぶりー
これプレゼント
わあありがとー
赤ちゃんのもの分からないからお店の人に聞いたの
それ使える？
使う使うー
わー
小さいね
うん
どうだった？
あのさのりPがさ覚せい剤をさ
え？
「覚せい剤使うと家事がはかどった」って言ってたじゃんニュースで。ほんとにそういうものがいるよなって思ったの1日目
…うん
他にもさ赤ちゃん殺しちゃった神戸の元スッチーとか、大阪の2児放置死させた親のことやたら考えちゃうの
そうなんだ

最初は、そういうこと
ばっかり思っててつまり
たぶん、できれば
逃げたいって
感じだったのかな
乳首が痛いって
メールしたじゃん
うん
それがさ痛く
なくなってきたら
今度は
死んじゃったら
いなくなったら さらわれたら
どうしよう…って
不安が始まってさ、
大きくなっても外に
出したくない…って
思ってじゃあ引きこもりに
なるな…とか
入院中なにもしてない
のに頭の中がものすごい
忙しいんだよ!
アハハ
で、考えたんだけど、
「死んだらどうしよう」って毎日
思ってて本当に死んじゃった場合
「どうせなら、毎日楽しく過ごせば
よかった」って思う気がするんだよね
だから「死んじゃったけど、
いっぱい愛したし
楽しかったねー!」って、
思える毎日を過ごすことにしたの
うん
そのほうが
いいね
ほんともういろいろ
頭の中が忙しく
てさ
この病院に入院してる
産婦たちが書いた
ラブホのノートみたいな
やつ読んで号泣だよ
丸文字が気に
なりすぎて
内容入ってこないよ
何かにつけ
自信がなく、
病院の方々は、
待望の
BABY
泣けない!?
やっぱ私いま
おかしいのかな?
え
アハハ
キャハハハハ
今日は
来れてよかったよー
ほんと来て
くれてありがとう
結局私だけ
しゃべりまくって
しまった
聞いてくれて
ありがとう…
私も…

江口さんが
こんな顔してる
時には
いっぱい話
聞いてあげたいと
思う
でも江口さんに
言えないこともあった
あら
田房さん
お風呂入って
いいんだよ
さっきのこと…
え
ああ
トイレのたびに
アソコは消毒シートで
ふいてたから
生む前日から
2日入ってなかったの
気付かなかったな
パサッ
えっ?
えっ!?

うそでしょ…
おなかがぜんぜんひっこんでない！
赤ちゃん入ってる時と変わらないじゃん
どうしよう…なにこれこわい…
でも助産師さんに聞いて「ずっとそのままだよ」って言われたらもっと怖い
毎日少しずつ、おなかはへっこんで戻っていった
よかった…
でも、シワシワだし今までかくれてた妊娠線もバッチリ見えてすごいことに…
エイコはこのことを封印した
それがのちの自分へどう影響をもたらすか知らずに

入院6日間
エイコの夫は病室に泊まって仕事へ通っていた
ヌー
他の産婦の夫たちは毎日来て
帰って行く…
サラリーマンとか
上の子がいると泊まるのはむずかしいのかな
じゃーね
バイバーイ
病室にはたびたび助産師さんがきていろいろなことを教えてくれた
SATC
毎日がバイトの初日みたいだったね
おせわになりました!
病院
夫とは作業の飲みこみ能力が同じくらいだって初めて知ったなー
バイト先で出会ってても仲良くなってたかも?
やっぱ運命だったのかな?
えー運命の人の子生んじゃったのかなーー!? うそ最高ーーー
キュ

あー早く
ヤリてー
新生児はほんとカラフルな服が似合わないなー
授乳クッション
白い服買っておけばよかったね
……
俗っぽいものが似合わないんだよな
生まれる時さ宇宙からテレポーテーションされてるとしか思えなくてさ
体の中って宇宙なんだと思ったんだよね
人間の目に触れる時だけつじつま合うように
内臓っていう地球上で処理できる形になってるだけなんじゃないかって
胃カメラ
食道
手術
人間が宇宙で暮らせないのも内臓が出ちゃったまま暮らせないのも
体内という宇宙と同じ成分を人間で包んでるからじゃない？
NO
NO
だから赤ちゃんは
宇宙から来た宇宙人なわけ

生まれてしばらくは宇宙からしぼり出された飲み物しか飲めないし
育児って宇宙人を人間にしていくってことなのかなって
……
あ…
言ってる意味分かった？
夜泣きは時差ボケかぁー
そう！
10ヶ月ロケット乗ってたからね！
地球上のものが似合わないわけだなー
土偶に似てるなーと思ってたけど、土偶って宇宙人だって説あるよね
うわーー!!
ウハッウハハハッ
アハッアハハッ
この人と子育てできるなんて超最高幸せ……♡♡
エイコは知らなかった

一年後のことを
打開策としてのラブホテルって言ってるだけだろーが!!
ひいてんじゃねえよ
オイィィ
カタカタカタ
YAHooN!
元彼 再会 どうなる
カチッ
……
思い出した下の字は「弘」だ雅弘だ
カタカタ
facebook
へえー今もあの趣味やってんだー
じ
……
そんな一年後のことを
この時はまだ知らなかった
はやくエッチしたいねー!
うん

第二章

育児って、めんどくさくて楽しい！

13. お母さん枠

Nちゃんが生まれて
2ケ月
知らない人にも話しかけられる
えっ!? 旦那さんと2人だけでお世話してるの!?
夜泣きで眠れないでしょー?
大変でしょ?
いや…そうでもない…
むだに昼夜逆転してた頃より
運動してないから眠くないわー
3:50
ダラ ダラ
POTATO
いい睡眠がとれてる気がする
へとへと
まーお母さんを寝かせてあげていい子ねー
育てやすい子なのねー
えっ
アラマァお母さんを困らせない
親孝行な子ねぇー

神経質な子は大変なのよぉ
あなたはいい子でちゅねー
私が怠惰な人生を歩んできたこととか夫と交代で世話しているとか関係なく
い、い、い、いNちゃんの性質として語られるんだなー
へんなの…
出産前あんなに「痛いよ」って言われたのに
痛いよ～すっごく!
陣痛は痛いよ～
帝王切開も痛いよ～
件名：痛いよ～
田房さんへ
出産もうすぐかな?
痛かったでしょ!?
と言ってくる人はひとりもいない…
その代わり
大変でしょ!?
育児は大変でしょ
眠れなくて大変でしょ
これってけっこう
大変
でしょ
普通よりも苦労が多い状態という意味
(決め付け)
アナタ大変でしょ!
はあ?!
人に言うのは失礼な部類の言葉だと思う…
単なるあいさつなんだろうけど
「母親は一種類のみ」って前提の言い回しだから
生まれたばかりの赤ちゃんのお母さん
眠れない大変
つらくない
つらい
親孝行
育てやすい
育てにくい
神経質
子供は2種類

そういう会話をくり返してると
世間が認知するお母さん像の枠
えー!! ムリムリ
わー
ポケットの中の
思い出がつっかえて
通れなーい!!
ネトゲ廃人だった時期
〝自分の特徴〟が
そぎ落とされて
性欲
ネトゲ廃人
家事苦手
のろま
夜眠れず
とても大変ですが
赤ちゃんが
かわいいので
へっちゃらです
世間が安心する
受け答えができる
ようになって…
急に「いい母」になったような
「リセット感」がすごい!
自分の「ダメさ」を
なかったことにできるって
妙に快感!
GREAT MOTHER EIKO
他のママたちは
どうしてるの
かな?
話して
みたーい!
地域センター
2ヶ月〜4ヶ月の
赤ちゃん
集まれ会
自由にみなさんと
お話して下さいね

わい
そうなんですか
うちは4ヶ月〜
3ヶ月です〜
わい
わい
ん？
グンッ
グンッ
タンッ
タンッ
えっっ
4ヶ月くらいの赤ちゃんって
あんなに強く動かして
OKなんだ!?
他の人のあやし方
初めて見た
新鮮だなー
グンッ
グンッ
また泣いたぁ

もー
うちの子
ほんとよく
泣く子でー
……
激しく動かされるのが
イヤで泣いてるのかも
しれないのに
やっぱ性格ってことに
されちゃうんだなー
みなさーん
今日は
別の部屋で
妊婦さんの
母親学級を
やって
いましてー
先輩ママとして
出産の経験を
お話してくださる
方はいませんかー
じゃこちらへ
おねがいしまーす
妊婦のとき
「出産は痛いよ」
って脅され
続けたけど
私の出産は
もちつき大会
みたいで
楽しかった
それを
伝えたい…!!
こちら
でーす
集まっていた妊婦たちは…

みな一様に
不安そーな顔をしていた
えっ妊婦ってこんなだっけ？
ムリもないよね毎日のように「痛いよー」って言われるんだもん
よろしく〜
こんにちは〜
「痛くなかったよ」って安心させたい
kitson
出産って死ぬほど痛いですよ！

でも大丈夫！
赤ちゃん
かわいいから！
以上
で～す
あの…
私は痛く
なかったです
ザワッ
どういう
こと
ですか?!!
痛みが
なかったん
ですか?!!
痛みに鈍感に
なることは
できるんです
生まれてから赤ちゃんに
乳首を吸われるのが
陣痛より痛くて
それがある日
急に痛く
なくなったんです
それまで意識のどこかに
ピンク
モテる乳首
茶色
赤ちゃんの蛇口
男の人に可愛いと思われる
乳首ではなくなるのが
イヤだな、こわいなって
気持ちがあって
だけど
もういいや！
仕方ないんだ！
と思ってみたら、急に
痛みが和らいだんです
パキッ
つまり、
痛みや状況に
抵抗すると痛みが
増して、逆に
受け入れると
あまり痛くない
んです
不思議だけど
陣痛も同じ
でした
エイコはうまく
説明できたと
思ったが
???
混乱顔!?

私はフツーに痛かったよ
痛いのがフツーだから！
ホッとしている！
なぜ!?
そうか…痛いのがこわいって気持ちと同じくらい
人と同じじゃないと不安って気持ちもあるんだ…
これは両方を埋める万能フレーズなんだ
陣痛は痛いけど赤ちゃんがかわいいから大丈夫
こうやってお母さんの枠ができていくんだ
ガーーッ
陣痛が痛くなかった私
ここではなんか孤独……
あらかわいい
このくらい小さいと大変でしょう?
ほんと大変です
でも赤ちゃんがかわいいから楽しいです
アララ？私フツーに言ってるよ

14. 謝罪しまくりママ

エイコは ママさんヨガに 通い始めた
ハイ じゃ 足パタパタ〜
ああ〜〜
チカちゃんは
もうすぐ ひとりで 歩くわねー
そうですねー
あ〜 あ〜
やー
すごぉい
ハルト君もねー あと半年くらいだね
ああ〜
えーうちの子 でかいくせに
まだおすわりも できないし…
5ヶ月だもん まだできない よー
Nちゃんも 4ヶ月 だから
まだ だよね
まだ ですー
あっ また泣くぅ
フエッ

ほんと泣き虫なんだから
ねがえりらしきものを最近します
アラ〜すごいね〜
アギャーアギャーン
他の子は泣いてないよ?
ハイじゃ次は左足〜
駅前にパン屋さんできましたよね
アギャーーン
できてましたねー
どうでしたー?
私行った
味は…フツウだね
なんだァ
ハハハ
アハハ
フツウかァ
あっ
アギャーアギャーン
あ〜…すみません…
えっ
フェ〜
うちの子につられて泣いちゃう
ああ ああ いや たぶんミルクだ
アギャッアギャッ
駅の向こう側にもパン屋さんあるよね
じゃ次四つんばいね〜
もーハル君が泣きやまないから
Nちゃん泣いちゃったでしょ!
ギャッギャッ
んもォ
アギャーンアギャーン
またハルト君が濡れ衣を着せられてる
んぐんぐ

ハルト君ってフツウのかわいい5ヶ月児なのに
ハルト君のママはいつもハルト君を悪く言う
うちの子でかいくせに泣き虫で
泣いてばっかりですみません
うちの子のせいでみんな泣いちゃう
うちの子が悪いんです
ママの言葉をきいていると
泣き虫で〜
でかいくせに〜
ハルトのせい
だんだんハルト君がでくのぼうに見えてくる…
そういえばすごく泣いてるかも？
たしかに体でかいかも？
たしかに体でかいくせに泣き虫かも？？
言霊ってすごい
どうして子どもを悪く言うんだろう
ストレスたまってハルト君がかわいくないのかな？って思ったけど
むしろかわいくて仕方ないって感じ

でも、こういうママって結構いるんだって最近知った
あんたのせいでみんなが泣いちゃう
ギャーギャー
うちの子のせいですみません
??
私のお母さんもそうだった
うちの子が悪いんだからいいんですよ
ええ?!
うちの子がダメな子だから
ええ??
一体なんなんだろうと思ってたけど
あれは別に子どもに言ってるわけじゃないんだ
あんたのせいでみんなが
悪いのはあんたよ
あんたはダメな子
周りの大人へ
あんたはダメな子
あんたのせい
私は分かっています
これでカンベンして下さい
先手で謝罪してるんだ
ママ自身に不安があるのかもしれないけど
子供が泣く
迷惑がられる
悲しいこわい
うちの子は常にかわいいと思われたい
先手謝罪することによって
すいませんすいません
うちの子泣いてすみません
泣いちゃうんですすみません
え…うちの子も泣くんだけど
ダメなの?
「泣くことは悪」っていうルールが空間に発生しちゃって

本来は赤ちゃん泣き放題のママさんヨガ教室が
泣くのはメイワク、寝るのはいい子。
映画館のような緊張感に…
スピー
ヒソ ヒソ
やっと寝てくれました！
え ああ
じゃ次は、仰向けで
先生も自然と声小さくなる
ドキ ドキ
やばっ！うちの子も泣きそう！
ハラハラ
しかも
すみませんうちの子のせいで〜!!
いやっうちの子も悪いですから〜
とか、つい言いそうになる
だめだハルト君ママにひっぱられちゃ
ぐぬぬ…
こういう時は

結界を張るんだ！
謝罪にいちいち応えない！
うちの子のせいですみません！
んあ
アハハ…
うやむや〜〜
濡れ衣を着せられている赤ちゃんに同情しない！
ハル君のせいでしょもォ〜
……
ノリが悪いと思われることを恐れない！
うちの子ダメで〜
うちの子なんてもっとダメで〜
……
そうやって
タオルで支えてるだけなんだけど…
何も言わないでおこ〜う
ほ乳びん自分で持てるなんてスゴイですね…
うちの子なんてうちの子なんて
先手謝罪ママの不安オーラをはねかえすんだ！

しかし結界に身をゆだねすぎると
私はハルト君ママより大らかな子育てができている
というより完ペキにできている!
なんかおかしいことに…
インターネットでスゴい書き込みしてる人って結界状態で書いてるのかな?
それじゃアナタ母親失格ですね
私はそんなこと絶対にしませんけどね。
親としての自覚ないんじゃないんですか?
親としてありえません生まないほうがよかったのでは?
スゴい書き込みの一例
このあいだ児童館で会った子はすごかった
見るからに強そうな顔で
Nちゃんが見てたおもちゃを
バーーン
奪い取り
サシャ
あ〜
あ〜
ガガー
仲間もおしのけ
ぐいっ
あ〜
うしろにはその子のママたちが…

お父さんもお兄さんも旦那さんもお医者さんなんでしょ〜?
そうなの伯父も叔父もね
え〜すご〜い
普通ならこんな感じだけど
すみませ〜〜〜ん!!
こらっおもちゃ返しなさい!
みんなと仲良くしなきゃダメよ!
すご〜い
そうなの
すごいすごい〜
びくともしないかっこいい…
ああいうママの結界はぶあつくて固くて
逆に周りの空気をのみこむから
中に入っちゃえば心地いいんだろうなァ…
でも中でもいろいろありそう
ずっと閉じこもってるわけにもいかないし
ハルト君抱っこしていいですかァ〜
……
チカちゃんのママは程よく結界を張れてそうでいいな
あ〜あ 子育てってめんどくせ〜…
あ〜〜
せっかく抱っこしてもらったのにん
泣いてすみませ〜ん

15. まんこの洗い方問題

Nちゃん1ヶ月検診の時のこと
身体チェックします
お母さんここね
えっ はい
「われめの中」の胎脂をとってキレイに洗って下さい
胎脂とはお腹の中で赤ちゃんを包むクリーム状の脂。出生後も新生児の肌が乾燥しないように守るモノ。
フル
フル
「われめの中」ってどうやって洗うんですか!?
やっと聞けた!
Nちゃんのまんこを初めて見たのは出産翌日
じゃーオムツかえてみよー

全身 鳥ガラみたいに
カサカサのNちゃん
そこだけは厚く
守られていて
神々しい…
ときどきわれめの中が
チラッと見えた
われめの中は
じょ 女性器だっ！
ビクゥッ
当たり前だろ
いちいち
動揺すんなっ
テープで
とめて
完了っ
しかし
クリトリス
らしきもの
ハイ じゃ ズレてないか
チェックしてー
ズレを
チェック…
穴らしき
もの…
おしりふきは
フタしないと
乾くよ
まんこ
脳の情報処理が間に合わず
フリーズ
次の日
あ…あのっ
ん？
ここは
どうしたら

拭けばいいんだよ
え？ちょ、おいだから
拭くってどこまで!?
↑まわりだけ?!
ひらいて中まで?!
まわりだけとりあえず拭こう
われめの中にある胎脂は助産師さんがオムツをかえたあともあった
とらない方がいいってことだよね？
われめの中とか
まんこをいじくるのって怖いし…いっか…
……
お風呂の時に泡つけてふつうに指で汚れを落とせばいいから
これはちゃんと洗わないと
チャックみたいに穴が閉じてっちゃうから。今一ミリくらい閉じ始めてるでしょ
上まで閉じたら手術で切らないといけないから
!!

あああ
ああ
エイコは
ごめん
怖がって
ごめんー
ガクガク
一心不乱に
Nちゃんのわれめの中を洗った
Nちゃんのここ
さわるのが怖いのは…
ヘンなことに
なったらどうしよう
っていう恐怖
エイコは幼稚園のとき
男の子も
女の子も
ここは
大事なとこ
だから
ポンポン
さわらない
ようにねー
大事…？
いじいじ…
？
目覚めてしまった過去があった
Nちゃんも
なったら
どうしよう…って
今思うと
超バカ
みたい
だけど
ほんとに
こわくて…
それにみんなまんこに対して
やけによそよそしかった

出産前の母親学級オムツかえ講習でも
はーいじゃ となりの人と 交代して〜
やって みてくださーい
おちんちんは タマタマのうらまで しーっかりふいて 下さいねー
クスクス
はい 笑わなーい 大切なことよ〜
クスクス
ワイ ワイ
全員やりましたか？
ハイじゃ おわりまーす
え？ まんこは？
父親学級のお風呂の入れ方講習でも…
じゃしっかり頭を持って次は
詳細に教えてくれるのに
寒くないよう ガーゼも忘れずに
石けんはすぐ横に
耳に入る水のことは 気にしなくて大丈夫
背中を洗うときは しっかりたおしてきは
股間の洗い方は ちんちんに言及するのみ
タマの裏も しっかり拭いてあげて くださいね〜
ってことは 女の赤ちゃんの アソコはサラッと 洗えばいいのか…
心配しなくても いいんだ

そんなことないじゃん！
穴ふさがっちゃうとこだったじゃん！
育児雑誌の性器の洗い方特集も
男の子 タマタマの裏まで
おちんちんの裏側や タマタマの両わきの汚れチェック
女の子 前から後ろへ
肛門と外陰部の距離が近いので細菌が尿道に入る危険が。
ちんちんについてはやたらくわしい…
その上ちんちんだけの特集もあったりする
洗うときは皮をむいて亀頭をやさしく洗
ぐんぐん大きくなるのは思春期から!
ママには分からな〜い!!
おちんちんのすべて
赤ちゃんのおちんちんは包茎だよ
成人になっても皮がむけないこともあるよ
はい？
人のまんこだって分かんなくない？
人のちんちんはじっくり見たことあるよね？
見たことあるところのさわぎじゃないよね？
そういう人の方が多いんじゃないの？
なんなんだろうこの違い
ちんちん
タマの裏までしっかりね〜〜〜!!
なんでも聞いてね!
ボク、おちんちん!
恥ずかしがらないでOK!
ママなんだからしっかりね!
わかりませ〜〜ん
まんこ
細菌が入らないよう
外陰部…
ふいてください
……

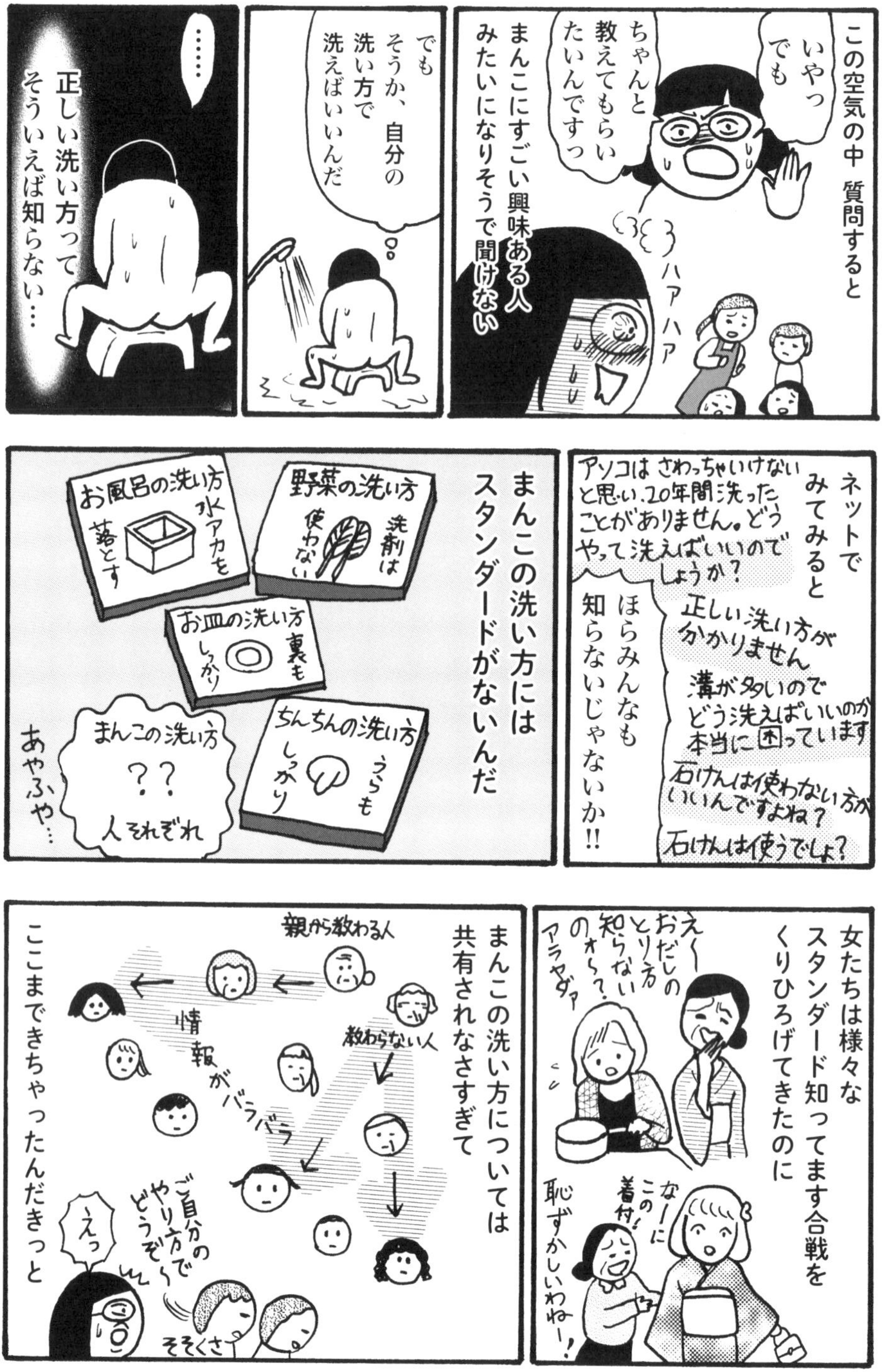
この空気の中 質問すると
いやっ でも
ちゃんと教えてもらいたいんですっ
まんこにすごい興味ある人みたいになりそうで聞けない
ハァハァ
でも そうか、自分の洗い方で洗えばいいんだ
……
正しい洗い方って そういえば知らない…
ネットでみてみると
アソコはさわっちゃいけないと思い、20年間洗ったことがありません。どうやって洗えばいいのでしょうか？
正しい洗い方が分かりません
溝が多いのでどう洗えばいいのか本当に困っています
石けんは使わない方がいいんですよね？
石けんは使うでしょ？
ほらみんなも知らないじゃないか!!
まんこの洗い方にはスタンダードがないんだ
野菜の洗い方 洗剤は使わない
お風呂の洗い方 水アカを落とす
お皿の洗い方 裏もしっかり
ちんちんの洗い方 うらもしっかり
まんこの洗い方 ?? 人それぞれ
あやふや…
女たちは様々なスタンダード知ってます合戦をくりひろげてきたのに
えー おだしのとり方知らないの？
アラヤダァ
なーに この着付！
恥ずかしいわねー！
まんこの洗い方については共有されなさすぎて
親から教わる人
教わらない人
情報がバラバラ
ご自分のやり方でどうぞ〜
そそくさ
えっ
ここまできちゃったんだきっと

赤ちゃんのすべて教えてもらえるのに
秘
ウン
まんこだけは「お母さんと同じで」ってやっぱおかしいよ
全然同じじゃないし
結局男の人からまんこの洗い方を習う始末だよ
ナルホドナァ
まんこは呼び方が決まってないのもタブー化してる原因の一つだよ
ちんこ
おちんちん
タマタマ
まんこ
おまた
木の葉
コーヒー豆
大陰唇
外陰唇
呼び方がコロコロかわるんだもん
病院や保健センターが統一するべきだと思う!
統一
祈願
ひわいなイメージのない呼称を各部位に改めてつけてほしい
と、エイコはまんこについて夫に熱弁をふるったが…
夫にまんこ洗いをまかせるのは抵抗があった
なぜだろう「なんでもないこと」にしたいのに
とにもかくにも指で洗っていたら
一週間後にはなおってました

16. とにかく夫がイヤになる

義父母と旅行に行くことになったエイコ
義父
義母
事前に予防線を張ろうとしていた
私、知ってる人とお風呂入るの苦手なんだよー
お義母さんが私をお風呂に誘ってきたら
それとなくフォローよろしくね
フォローって何だ
「Nちゃんのお世話あるから母さん先に入ってきなよ」って言うとかさー
知らないよそんなのできないよ
いやいやできないとかじゃなくてやってくんないと私 安心して行けないから!
自分で直接言えばいいだろ
はあ!?
言えないから頼んでんでしょおがっ!!
風呂なんて気にしなきゃいいでしょ
何ひとりでピリピリしてんだよー
……
なんだよ

どんな話でもできる夫なのに
ねー ちょっと心配なんだけど
言うと思った
俺やっとくから
あれってこうじゃない?
クスクスッ
私もそう思ってた
親のことになると
ポケラ〜
?
なんで話が通じなくなるの?
前からこうだった!?
いや そんなことない
Nちゃんが生まれてすぐの時からだ
パシャ
パシャ
遠方から上京
3時間経過
パシャ
パシャ
どうしてこの人たちは
私とNちゃんの写真を撮らないんだろう
その子を生んだのは私ですよ…
私なんかヘン… さみしくて耐えられない
Nちゃんおつかれさまー
や…
やっと帰った!!
……

ちょっとオオ
私にもおつかれさま言えよぉぉ
写真も撮らないしさー!!
えっ
え?
うちの親はそんな気回せないタイプだって知ってるでしょ
知ってるけど今日はムリだった!!
俺だってうちの親のことあーあって思ってるよ
そのあとも何度か大ゲンカになったけど
だから私を「きょうだい」みたいに自分と同じ立場として考えるのやめてってば!
?
今回も
そんなに話通じないなら
私は旅行行けないよ!
子どもが生まれたら関係が複雑になるんだからアンタが一番気遣ってくれないと困るんだよ!!
アンタが何も気を回さなくても私とお義母さんたちが仲良ししているとか100%ないからね!?
幻想は捨てて
大人になってよ!!

？
アカン…
私の知ってる夫じゃない！
やだ！すごいやだ！
ゾーーッ
もしかしてマザコン!?
しばらく一緒にいたくない！家出る！
でも行くとこない
ガラガラ
実家とは絶縁してるし
赤ちゃんと安全に泊まれるところ
ファミレス夏メニュー
DVシェルター？でもDVされてないし
2～3日夫と離れたい時どこに行けばいいの!?
結局　近所のビジネスホテルへ
女性専用階があるホテル
1泊1万円高けぇー
ベッドの上しか赤ちゃん置けないし
廊下は知らない人がいてこわいし
お金的にも1泊が限界だし
全然快適じゃないなー

ん
特集
産後クライシス
出産直後から
夫への愛情が急速に
下がる
「産後クライシス」
専門家
へー
夫を嫌いになる理由
○家事育児をしない
○「うんちしてるよー」と
報告だけしてくる
○ねぎらってくれない
○夜泣きの時「静かにさせろ」と言った
私は夫の
家事育児に
不満ないのに
え～
サイアク～
食べたものはテーブルに置きっぱなし、妻が片付けている間はゲームに興じる
どうしてこう
なっちゃったのかな
わからない…
とにかく
夫がイヤだー
すぐに帰ったが
朝マック
食うか？
この頃から
ズズッ
ズズッ
モシャ
モシャ
……
……
夫と話すことが
できなくなった
……
……
あれえぇ??
いつも何
話してたんだっけ??

必要最低限の会話で過ごすこと1週間
ミルクのました?
うん
かして
ああ…
このへんがカスカスしてきた
カスカスにK-POPが染みるな…
ブンジャカラガ
ブンジャカラガ
じゃ〜ん
1ヶ月後
なんか慣れてきちゃった
これからずっとこんな感じなのかな
さみしい?
……いや
TOP
なんとかやっていけそうだ
だけどセックスはどうする?
まあ私 性欲なくなっちゃったし問題ないな
臨月の時AVを見てみたら
えっ!!
不思議!!
無料サンプル
全然興奮しなかった
ちんちんが「小さいもの」に思える!!
大きなものが出てくる場所ってことに
ちい
せぇ〜
脳のプログラミングが変わっちゃったんだ
今も同じ感覚にちがいない大きいもの出したんだから
カチカチ
試しに見てみよう

ところが
ウワー!!
なにこれ!!
ギューン
めちゃくちゃ興奮する!!
ちょっまっ
ハーハー
AV
ドエロすぎだろ!!
久々の性的興奮に体が追いつかない！
性欲がなくなったわけじゃないんだ…
もう一度見る
じゃあこれから私は
誰とセックスすればいいんだ
男はいいよね気軽に性処理できる場が
SOAP LAND
ファッションヘルス
デリバリーヘルス
DVD鑑賞
おっぱいパブ
ピンクサロン
手コキ倶楽部
のぞき
ランジェリーパブ
パンチラ喫茶
信じられないほどたくさんあってさ
ボクはそういった場所は利用しませんねー
とか言ってる男も行こうと思えば行く先がある
女性用だってありますよね
女性用性感マッサージ
出張ホスト
女にはそもそもないんだよ!!
高いしワケわかんないし使えないよ！

安全に低リスクで
女がセックスできる場所…
確実にイケると分かってる相手じゃないと意味がない
そんなのいるわけ…
…あっ…
いる…！
セックスがうまい元彼だ
A
B
うまくない人
除外
D
C
わーー!!
元彼と浮気するって話が多いのはそうか
女にとって元彼とのセックスは男の風俗と同じ…
そういえば出産した時
ありがとう森羅万象ありがとう
今まで優しくしてくれた人
してくれた人
気持ちよくしてくれた人
みんなみんなありがとう
みたいな気持ちになって
BGM エンヤ
最低な思い出が一掃されちゃったんだよね…
エイコは元彼の名前を検索した
ゴクッ
カタカタ
Facebook発見…
カチカチ
意外と近くに住んでる…

17. 何もしないジイさん

優先
妊娠中から駅のエレベーターを使うようになって
感じていたこと
子持ちの人たち
すいません
ペコペコ
すいません
ペコペコ
すいません
ペコペコしすぎじゃない??
優先エレベーターのメンバーはだいたいこんな感じ
ジイさん
バアさん
ベビーカー
赤ちゃん抱っこ
障害者
車イスの人
ケガの人
旅行者
車イスの人が電車に乗るのを何回か見たけど
みんな軽い会釈くらいだった
ペコッ
クールでかっこいい!

私もペコペコなんてしない！
「すみません」の代わりに「ありがとう」って言うんだ
って思ってたのに
ありがとうございまぁす
ペコ ペコ
通りまぁす
ありがとうございまぁす
実際は大げさになってしまう…
なぜだ…
ハッ
ギュウ
ベビーカーを押しつけて
ギュウ〜
自分が使ってるスペースを小さくしようとしてる！
世論にせめても従ってるんだ！
世論の数々
電車内でベビーカーを畳まない母親が急増！
ベビーカー迷惑！ジャマ！
赤ちゃんの乗車賃はタダなのにスペース1人分とってる！
ギュー
幅は大して変わらないのに…

そうか目に入る世論によって
読者の声
迷惑なのはベビーカーじゃなく母親たちの傍若無人な態度
まるで当たり前の顔で乗り込んでくる母親許せない
子連れだからって偉そうな顔するな
もはやベビーカー問題ではない
無意識に圧を感じて
ベビーカー邪魔
車輪で踏まないでよ?
うう…
謙虚に乗れ
当たり前のような態度するな
タクシーを使え
こうなっちゃうんだ
ペコペコ
ありがとうございまあす
みなさまのおかげで電車に乗ることができ、育児させて戴いておりますアピール
ふう…
どうぞ～
しかしバアさんは優しい人が多い
スーッ
子持ち同士も助け合う
スーッ

みんなが協力しあってエレベーターに乗っている
バウーーン
ガンッ
キャッ
!
ジイさん以外は!!
いるならボタン押してよー
60代後半~70代くらいのジイさんの何もしなささはすごい
順番とか気にしない
人がいなくなっても絶対動かない
じーー
えっ私!?
閉ボタンは率先して押す
タムタムタムタムタム
キャ
ガンッ
ガンッ
そして指示はためらいなく
2階!!
びっくん

もし、バアさんや子連れがこんなことをしたらすごく目立つ
3階!!
スーッ
感じ悪っ!!
だけどジイさんだと誰も気にしてない
私だけに見える妖精?
ジイさんという存在に女たちが何も期待していないという表れ?
家では何もせず
おい お茶
箸がないぞ
仕事だけしてればいいと言われ
妻は夫の仕事のジャマしないの
あなた子供が学校で
子供のことはお前に任せてある
40年 馬車馬のように働き
定年後 急にこっちの世界に放りこまれたら
会社 仕事 サラリー 競争 接待
ウワー
ポイッ
子育て 家事 コミュニケーション エレベーターでの協力
スーッ
こんな風に電池の切れたロボットみたいになっちゃうのかも…
スーッ
スー

しかも
ロボットジジイって
よく見ると
たくさんいる!!
スーー
スーー
スー〜
スー
スーー
しかもみんな
単独行動！
夫婦のロボットジジイはたいがい
奥さんにお世話されてる
ホラ
切符！
……
スーーッ
こぼさないように
ひたすらついていく
ハツラツとしたジジイも
少数いる
うちも同じくらいの
孫がいるの
ハツラツジジイは
明るい色の服を
着ている…
薄手のデニムや
ダンガリー率も高し
夫はどっちの
ジジイになるのかな？

必要最低限の会話の日々は続いていた
ア…
話そうとするとのどが詰まる
ウグッ…
粘土でフタをされてるみたい
ズ〜〜〜ン
夫と話す
なんなんだろうな…
ペラ…
ママガジン創刊!
ママのためのマガジン
特集
産後の夫婦危機をのりこえる
人気教授 関白尊男先生
夫のことは飼い犬と思え
察してほしいはあきらめろ!
夫に家事をやってもらう方法
☆何をやってほしいか具体的に指示する(しつける)
☆やってくれたらたくさんほめる
☆感謝をとにかく伝えプライドを刺激する
☆10期待しないで6で満足する
イライラ妻は卒業♡
大の男を
わ〜ありがとう〜!!
すっごい助かる〜
上手にゴミ出せてるね〜!!
いちからしつけ直すのも妻の仕事ってか?
夫には6で満足しろとか言って
母親ならば自己犠牲当然!
ベビーカージャマ遠慮しろ
虐待する女は鬼
子供に愛情持って当たり前
母
世の中は「母親」に1000くらい求めてるよね
どうなってんだよ
ペラ
ママガジン
飼い犬としてしつけながらも
2人目妊娠への道
夫たちの言い分!
ボクらがその気になるような雰囲気づくりも配慮してほしい!
ムード作りをがんばってみて
家族ではなく「男」として見る努力をしてほしい!!
男のプライドは傷ついてる?!
夜は男として見ろってか……

「男はたくさん子孫を残したい生き物」って言うよね
男の浮気は本能です
男ですいません
ならば子作りは腕の見せ所のはず。
なのに「ムード作ってくれ」って…
期待しないで
うまくあしらって
ムード作ってあげて
種だけもらって
HA-HA-
そうやって人間扱いされなかった夫たちが
ゴミ捨てたぞ!
ハーイよくできました~
おい靴下!!
……
うちのダンナマジでバカだからさ
ふ~ん
ロボットジジイ化するのでは…?
スー
スー
スー
スー
スー
スー

18. 母乳が出ない

Nちゃんは1歳になった
ダンッ
ダンッ
♪
ムシャ
ムシャ
知らなかった
1歳って焼き芋食べるんだな
♪
そんなことも知らずに
妊娠中に赤ちゃんを抱っこさせてもらった時も同じことを思った
先輩ママと赤ちゃんふれあい会
ハ〜イ 次の人〜
あっ
かわいい!!
いける!!
私これなら育てられる!!
つーか
こんなに小さい赤ちゃん抱っこしたの初めて
犬猫だって飼う前に抱っこくらいするのに
PET SHOP
この子にします!
抱っこもせずによく妊娠したなー!

1歳の赤ちゃんがどんな感じかも知らないで
ダンダン
よく1歳まで育てたなー
離乳食にも最初は泣かされた…
あのさこの本の通りにそうめんを作ったんだけど
離乳食
よくたべる
1. そうめんを10本、茹でる
2. 1を裏ごしする
3. うらごししたものを出汁で煮る
しょっぱそうなミニミニすいとんみたいなのしかできないよー
ネッチョリ
これから毎日
10本ずつ茹でなきゃいけないの!?
ハァ〜
マジかよ…
カタカタ
ネットで聞いたら10本ずつ茹でなくてもいいんだってー
なんなのこの本は……
離乳食
よくたべる
そうか

大人の食材を分けておけばいいって
これで冷凍するんだな
ジップロック
赤ちゃんの世話って最初は動揺するけど
2日くらいすると慣れてくる
どこかがマヒするのかな?
夫と分担してたし
眠れなくて超つらいとかあまりなかった
すごくつらかったのは
母乳のこと
5ヶ月くらいの頃
最近おっぱいをいやがるんだよー
なんとなくそのまま完全ミルクになった
ギュー
出なくなってる…
もともと母乳にこだわりないしまぁいいや
と思ってるのに

母乳で育ててるの？
んあ、はい……(5ヶ月までは)
なぜか人には絶対に言えない
Nちゃんミルクも飲んでえらいですねー
えっ
うちの子ほ乳ビンいやがって飲まないんですよー
あ、うちもですー
ミルク「も」って言った
ミルク「しか」飲んでないんだけど…
ウッ
産後4ヶ月からでも間に合う！
完全母乳をあきらめないで
やっぱり赤ちゃんにとって母乳が一番！
サッ
なるべく母乳で
あああああ…
完全母乳
できるだけ母乳を！
母乳の子のほうが発達がよいと
一番いいものをあげられてない私
Nちゃんの健康に悪いことしてるんだ
ハアーッ
ミルク
まるで母乳
Nちゃんすみません
ハアーッ

あのさーもう母乳出なくてあげてないんだけど大丈夫かな?
ああ…
大丈夫でしょー
ホ〜ッ…
あぁ… 人に話せるっていいな
でも自然派治療院みたいな所では
ヨガレッスン
リ・ボーン
赤ちゃんに吸ってもらえば出るから!
旦那さんに吸ってもらって!
ハハハッ
やっぱ出さなきゃダメなの!?
ガーン
かと思えば1歳になった今じゃ
保健所
あらっ
もう卒乳済んでるの?! エラいわねぇ〜
えっ
エラい?!
数ヶ月でコロコロ変わる
5ヶ月
なるべく母乳!
ミルクだけ
1歳
エラい!
ミルクだけ
5ヶ月
エラい!
母乳だけ
1歳
なるべく早く卒乳!
母乳だけ
母乳かミルクかなんて話す機会ないのに…
俺A型〜
俺AB型〜
そうなんだ〜
俺母乳育ち〜
俺ミルクなんだよねー
マジでー
なんであんなに母乳母乳言うんだ
健康なおじいちゃんが
0歳の頃完全母乳で育ったおかげで登れました!
とか言ってるなら分かるけど
エベレスト80歳最高齢登頂!
罪悪感たっぷりのミルクじゃなくて
笑顔であげればよかったな〜

19. 素直になれない

Nちゃんイモ食べてんのか〜
サッ
ハハハ
いたいぞぉ〜
先週…
打開案としてのラブホテルだろーが!!
引いてんじゃねーよ!!
私の決死の誘いを断りやがって
何か言えやー!!
私がずっと断ってたから悪いなーと思って
NO!!
会話がない険悪なムードも終わりにしたかったし
一生懸命考えて
私がその気になる方法…
そうだ一緒にAVを見ればいいんだ
ラブホテルなら自然に見れる

やんわり言ったのに
あのさ～今度さ～
ラブホにさ～
……
ドン引きしやがって…
いやあの
試しにって
感じでさー
って聞いてる!?
……
許さない!
私は絶対に
浮気する!
カタ
カタ
facebook
もうメッセージだって下書き保存してあるんだからな!
しとやかバージョン
こんにちは
いきなりメッセージ
送っちゃってごめんなさい
私、エイコです。
覚えてますか?
軽妙バージョン
久しぶり!エイコだよ～
覚えてる?15年ぶりだね
まだあの趣味続けてるんだね! サザンの新曲
聞いた?やっぱいいよね
よかったら
お茶しない?
エイコより
送信
カチッとしたら
大変なことになるんだからな!
元彼AかBとものすごい
肉欲関係になるんだからな!
A or B
あのさ…
な…
なに!?
うちの親との
旅行のこと
なんだけど
YAHEE!

俺…できるだけ気配るから
来てほしいんだよね…
エイコさんいないと俺がつまんないし
あとこれ
こういうの好きでしょみつけたから買っといた
……
ガタン
私は…セックスするんだ元彼AかBと
ガタン
AかBじゃないとダメなんだ
ガタン
ゴトン
だって出産で股がビロビロになっちゃってて
夫とするのやだもん

Nちゃんが生まれてから2〜3回したけど
明らかに私の…ゆるくなってる
きつくなるんじゃなかったの?
きつめに縫ってくれたのかしら〜
あたしの…なんか……
前とちがうよね?
そんなことないよ
気遣って言ってくれてるって分かった
優先
私も逆の立場だったら言うもん
ガタン ゴトン
でも…もう出産前と同じように誘われても
YES
って言えない
だってどうせ私ユルユルになっちゃったし
おなかもダルダルになって
おっぱいも前とはちがう
妊娠線もすごいし
あの日、
自分の体にビックリしたときから

私
本当はすごく傷ついてたんだ
出産していろんなところが垂れるのは仕方ないんです！
垂れたおっぱいも魅力的です！
アハハハ
むりやり思い込もうとしてたけど
本当はがっくりきてた悲しくて心も体もいじけちゃってた
やさしくいたわってかわいいキレイステキってほめてでももらわないとセックスなんてできないくらい
一番ガッカリされたくない相手となんか
余計できない
私 別に元彼とセックスしたくない
夫としたいんだ

20. ママと夫と子どもの関係

女性の活躍で経済成長
3年育休で女性が赤ちゃん抱っこし放題
生出演!
育休3年
好きなだけ抱っこしていただく社会!
居酒屋
三休
おすすめ
おーっ エイコさん 久しぶりー
どもー
どうですか 最近はー
去年 子どもが 生まれて
そっかーみんな 子持ちになった ねぇー
うちは 6歳〜
高橋くん ところは?
1歳♡
うち4歳 と1歳
うち2歳
みんなどこの オムツ使って るー?
…
あー俺 そういうの ぜんぜん 分かんない
奥さんが やってるから

えっ
そうなんだ
帰る時には
寝てるから
さー
へー
仕事忙しい
んだね
ま
そんなに
忙しくも
ないん
だけどね
俺は
やってる
よー
俺はオムツ換え
も本気でやってる
からね
いいおしっこ出てるぞって
ホメてやるからね
排泄も立派
な仕事だと
思うから
俺は
バン
アハハ
なにそれ
おかしー
うんちも
ほめるの？
いや、うんち
は奥さん
俺は寝かし
つけも本気で
やってるから
寝かしつけ
なんてこないだ
初めてやったよ
初めて!?
奥さんが夜出かけるって
ことが今までなくてさ
もー
ママ探しちゃって
大さわぎで泣き疲れて
やっとねたよ
ぎゃ
ママ
ママー
ハハハッ
心配で出かけられ
なかったんじゃ？
やっぱ女の人には
かなわないよなァ
男には
おっぱいが
ないからな
男には
ぜんぜん
なつかない
よな
ハハハッ

母乳が出ないってのはつらいよな
どうやってもママには差をつけられちまう
ポリッ
夜も俺がノコノコ帰ると子どもが起きちゃうから
寒空の下帰れなかったりさ
あるなぁ
子どもに会いたいのに帰れないいんだよ
男親ってせつないよなァ
……
いやいやそこはさっさと帰って奥さんと交代してあげてよ
あるな～ そういうのな～
なんだろうこの人たちの他人事《ひとごと》感…
高橋はハマってる風俗あるからな
帰れないよな
マジかよ
ハハハッ
バカ たまにだよ
サイテー！
キャハハ
やっぱ風俗って行くの？
風俗ってほどのお店じゃないよ！
ひとりでする延長みたいなもんだよな
男はつき合いもあるからなァ
じゃあさ…

もし奥さんが浮気してたらどう？
うちの奥さんは時間がないからムリだと思う
家事と育児でヘトヘトって感じだし
ハハハッ
うちさー実は
奥さんも俺もお互いが初めてなんだよねー だからそういうことはないはず
そうなんだー
俺は奥さんに「女」でいてほしいからOKかな
えー
髪とか服とか気をつけてっていつも言ってる
所帯じみるのが一番イヤだから
1歳の子のママに……それは酷じゃない？
そうかなー でも俺やなんだよね
奥さん美人そうー
あ、あのさ
私 出産して大陰唇がビロビロになっちゃったのね
だ、大陰!?

1年くらいずっとでさ
でもこないだインナーマッスルをきたえるヨガに2回行ったら戻ったの
ビッチだービッチがいるー
俺も子どもできてから挿れるのこわくてやってない
わかる！
男はビビるよな
あ…あのね
夫が子どもみてくれるからヨガに行けて
それでやっと「女」でいられるって話なの
でもさーやっぱ子どもが奥さんから離れないからさー
だよなー
子どもにとって母親が一番安心！
そんな決めつけない方がいいよー
ちょっと何これー
楽しく育児トークするつもりで来たのに…
子供の様子
レジャースポット
パパならではの苦悩
夫婦問題
女の人は母乳が出る、母性本能がある。それが答え！
女が育児するべきなのは生物学的に本能のルールに基づいている
原始時代から男は狩り、女は家庭を守ってきた だからそれが正しい
全くかみ合わない…
そもそもコイツら育児してない…
ハナから会話に入ってない
MENU

彼らと話してると
息苦しくなった
なんでだろう？
彼らの話す「俺の奥さん」が
あまりにも都合がいい女だからだ
キレない
子育て大好き
文句言わない
万能
疲れ知らず
息抜き不要
性欲薄い
家事苦じゃない
まるで「母性」だけが絶えず
湧き出してるような女。
見たくない部分にフタをして
無いことにされてる感じ
正しい女
傷を負ったまんこ
ウンチオムツ
ビッチ
母としての苦労
家事
女の気持ち
妻の本音
きっと実際に会ったら
いろんな個性があるはず

それぞれ経験とか過去
とかあったのに
急にマリオネットに
なっちゃうだけ
離れたくないんじゃなくて
離れ方が分かんなくなるだけ
だからグイグイ入ってきて
くれないと困るんだよ
いいから寝てろ
入ってきてくれると
助かるんだよ
OMUTSU
ママだからって
いつも赤ちゃんを
抱っこしたがってるなんて
思わないで
ママだって
人間だよ

ちくしょう
何がビッチだ
ビッチな話でも真剣に聞いてくれる
乳首の感度がスゴイ
あのさぁ私が男性器のオモチャを置いてたらどうなの
まんこの呼び方統一すべき
ナルホドナァ
うちの夫に謝れ!
夫…!!
会いたいよォーー!!
おかえり
Nっ Nちゃん…もう寝たの
うん今日はすぐ寝たよ
あのさ私も旅行行くよ
うん
パーキングエリアで串にささってるやつ食べようぜ
あたりまえー
その夜

エイコは久しぶりにリボンになった
アソコ元にもどってる
うれしい
ぱっふぁああ
そういえば今日のお化粧いい感じだったね
えっホント!?
うんキレイだった
ヤダうれしい
ぱっふぁああ
翌日…
体が軽い…
うれしいポイントがたまったから?
ごはんだよ〜
もしかして母性って
湧いてくるものじゃなくて補充されるものなのかも
エイコはNちゃんをいっぱい抱っこした

「ママだって、人間」おわり

田房永子（たぶさ・えいこ）
1978年、東京都生まれ。A型。武蔵野美術大学短期大学部美術科卒。2000年、漫画デビュー。翌年、第3回アックスマンガ新人賞佳作受賞。2012年、実母との戦いを描いたコミックエッセイ『母がしんどい』（KADOKAWA中経出版）が大反響を呼ぶ。

初出
KAWADE WEB MAGAZINE　2012年11月〜2013年10月　※18〜20話は描きおろしです。

ママだって、人間《にんげん》

二〇一四年三月三〇日　初版発行
二〇一五年四月三〇日　3刷発行

著者　田房永子
発行者　小野寺優
発行所　株式会社河出書房新社
〒一五一-〇〇五一
東京都渋谷区千駄ヶ谷二-三二-二
電話　〇三-三四〇四-一二〇一（営業）
〇三-三四〇四-八六一一（編集）
http://www.kawade.co.jp/

装丁　芥陽子
組版　株式会社キャップス
印刷・製本　中央精版印刷株式会社

Printed in Japan ISBN978-4-309-27479-9